こたえは 93ページ

こうえん
パンツをさがせ
パンツが
ぬけちゃった
怪獣パルゴンの
きょうふ!!
算《さん》数《すう》王《おう》国《こく》
大《だい》ぼうけん
さく・小室尚子
パンツは　もらった。
かえしてほしければ　わたしの
ぶかたちと　たいけつ　しながら
ちずを　手《て》に入《い》れろ。
とりもどすことは　できるかな？
怪《かい》人《じん》ワルー
パルゴンの
いえ
怪《かい》人《じん》
チョッキンジャー

二《に》じかんまえ
オイラのパンツがないズラー！
パンツは　もらった。
かえしてほしければ　わたしの
ぶかたちと　たいけつ　しながら
ちずを　手に入れろ。
とりもどすことは　できるかな？
怪人《かいじん》ワルー
パルゴンのいえ
怪人《かいじん》チョッキンジャー

ワタルと　パルゴンが　こうえんから
もどると　ほしていた　パルゴンの
パンツが　なくなっていました。
どうやら　怪人《かいじん》に　ぬすまれて　しまったようです。
パルゴンは　はんなきです。

「ないていても　しょうがないよ。
いっしょに　とりもどしに　いこう！」
ワタルは　パルゴンに　いいました。

めいろ

怪人《かいじん》を さがしに スタートから
ゴールまで いってみよう!

こたえは 92ページ

ゴール

「おまえたちが
ワタルと　パルゴンね。
わたくしの　名《な》まえは
チョッキンジャーよ。
しょうぶに　かたなければ
ちずを　手《て》に入《い》れることは
できないわよ」

「この怪人《かいじん》　つよそうズラ。
オイラ　ケンカに　かてる
じしんが　ないズラ」

「だれが　ケンカを
すると　いいましたか？
しょうぶは　ジャンケンよ。
わたくしに　かてるかしら」

もんだい

チョッキンジャーと ワタルと パルゴンの 3人《にん》で ジャンケンを しました。この中《なか》で 一《いち》ばん つよいのは だれでしょう?

こたえは 14ページ

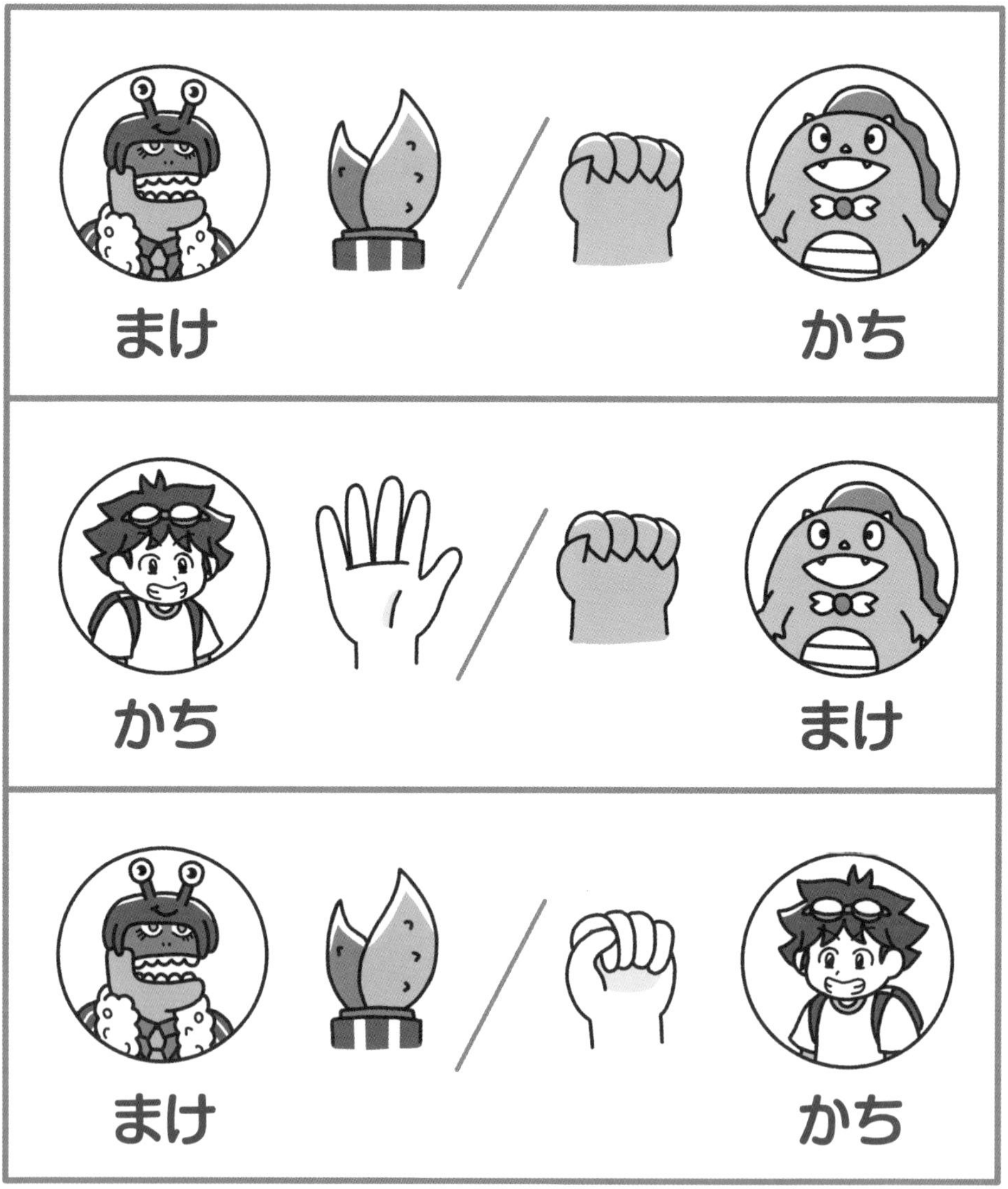

「ま、まけました……
これを　もって　いくと　いいわ」
と　チョッキンジャーは　ちずを　くれました。

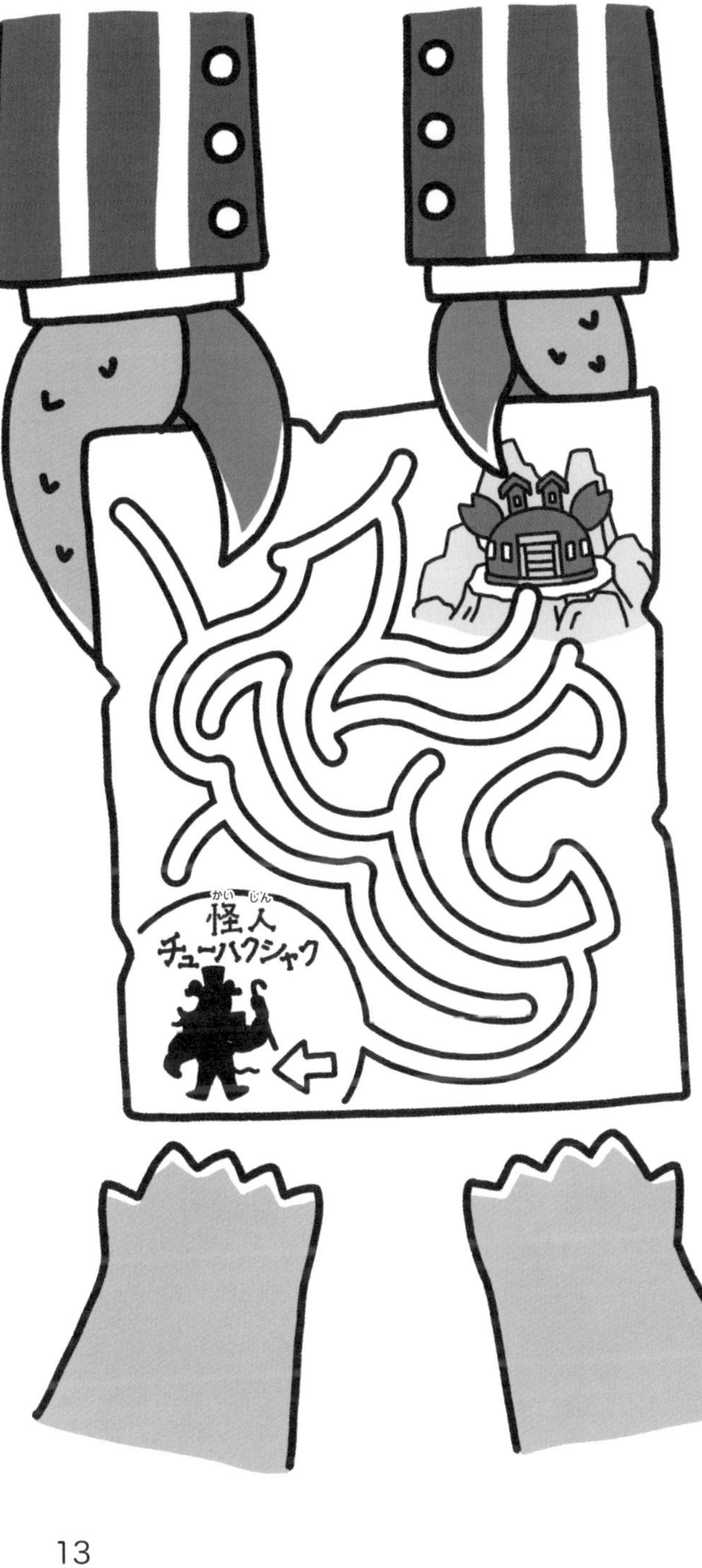

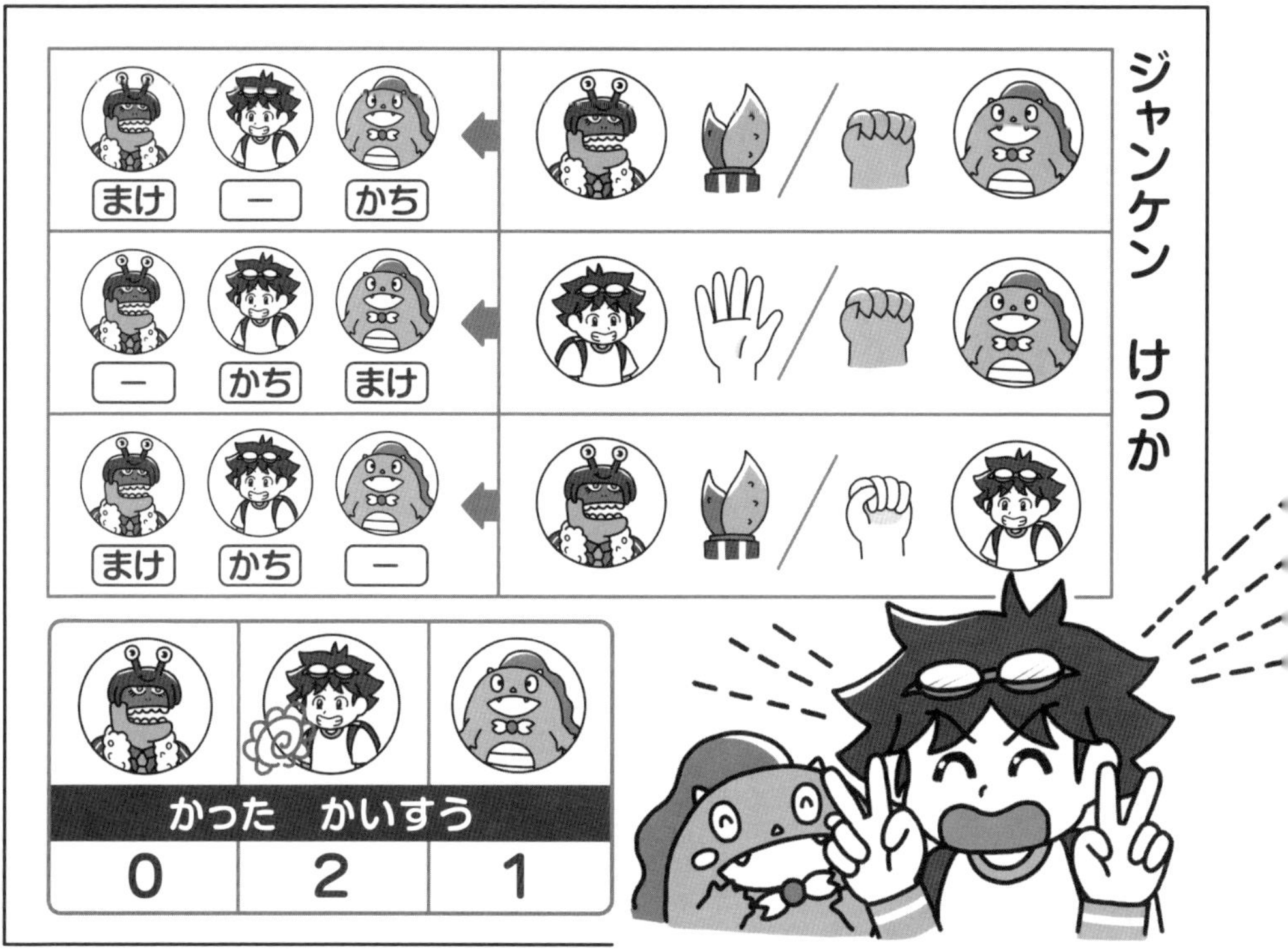

チョッキンジャーが
チョキしか出《だ》さないと
はじめから
わかっていたよ」
「な、なんですと!?
すでに　ばれていた!?」

ワタルと　パルゴンは　チョッキンジャーから
わたされた　ちずを　たよりに　いそぎます。

しばらく　あるくと
おそろしそうな　いえが
あらわれました。
二人《ふたり》が　おそるおそる
とびらを
あけて　みると……

もんだい

いえの 中《なか》には そとより 2人《ふたり》 おおく 人《ひと》が います。
中《なか》と そとを あわせると ぜんぶで なん人《にん》 いるでしょう?

こたえは 92ページ

※かげは 人《にん》ずうに 入《い》れません

このかげを 3つさがしてみよう!

こたえは 92ページ

下《した》の ものを さがしてみよう!

こたえは 92ページ

ネズミのかげ

ネズミ 6ひき

王《おう》かん

? 下《した》の チューハクシャクの もちものも 5つ さがしてみよう!

こたえは 92ページ

 ぼうし

 ステッキ

 エリの ひらひら

 手《て》ぶくろ

 クツ

「あれ？　かげは　見《み》えるけど
チューハクシャク本人《ほんにん》が
どこにも　いないズラ」
「オレさまは　ここにいるぞ！」
二人《ふたり》が　目《め》を　こらしながら
こえの　する　ほうを　見《み》ると
とても　小《ちい》さな　ネズミが
いました。

「えー！　チューハクシャクって　こんなに小《ちい》さいの？」
「おまえたち　しつれいだな。　まあ　よい。
この　もんだいを　とかない　ことには　ちずを
わたす　ことは　できないからな」

もんだい

上《うえ》の シーソーは つりあっています。
下《した》の シーソーに パルゴンが 2人《ふたり》のりました。
くろくろだんが なん人《にん》 のれば シーソーは つりあいますか?

こたえは 23ページ

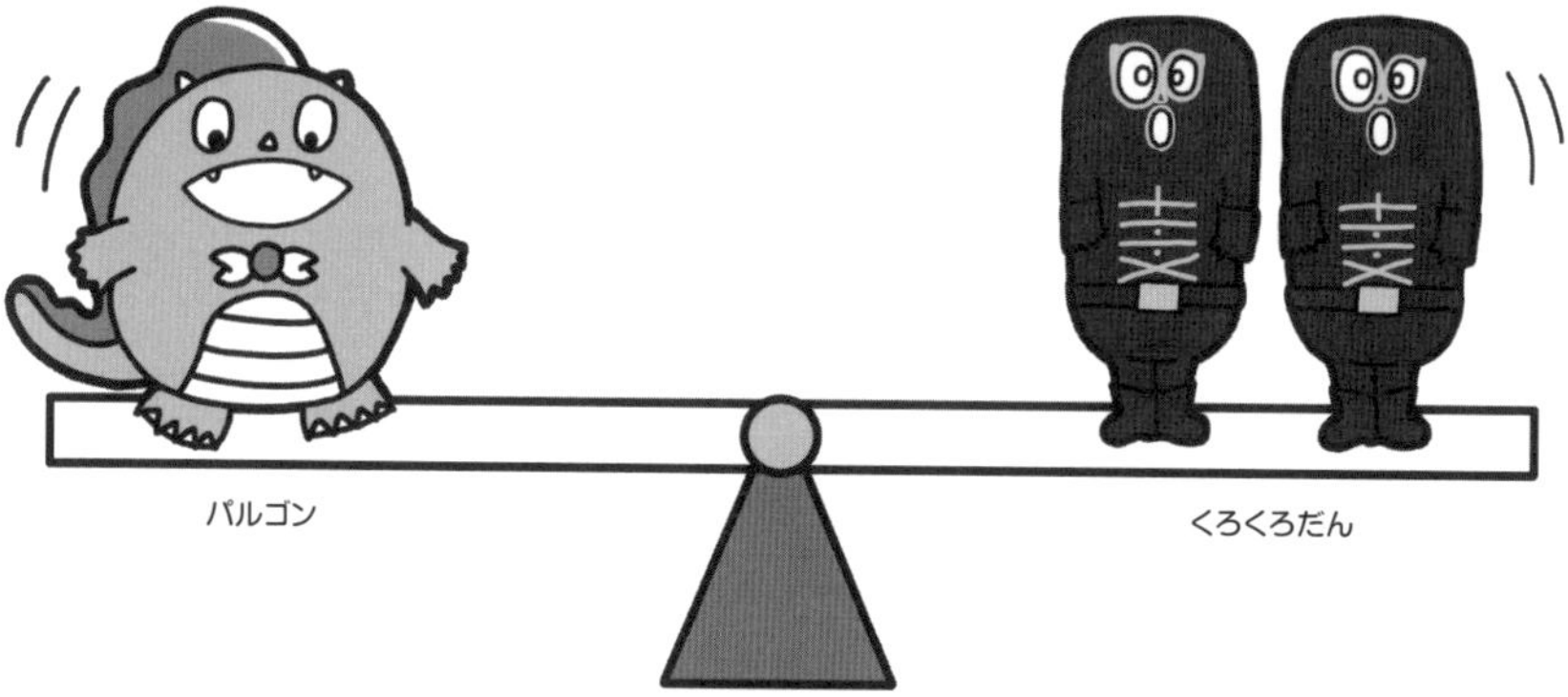

「かんたんさ！
こたえは　くろくろだんが　四人《よにん》だ！
さあ　つぎの　ちずを　わたして　もらおうか!!」
「くやしいーーー」
そういうと　チューハクシャクは
そとに　とび出《だ》し　まちに
むかって　かけ出《だ》しました。

もんだい

はじめは このように バスていに ならんでいました。
ブタは 一《いち》ばんうしろに ヤギは 一《いち》ばんまえに いどうしました。
じゅんばんは どうなりましたか?
正《ただ》しいものを ①②③から えらんでね。

こたえは 92ページ

はじめ

①

②

③

はじめの れつと くらべると つけている ものや もっている ものが
かわった どうぶつが いるよ! さがしてみよう!

こたえは 92ページ

「へんそうしても　ばれているぞ。
チューハクシャクは　おまえだな！」
「しかたない。
あきらめて　ちずを　わたそう」
ちずを　手《て》に入《い》れた
二人《ふたり》は　つぎに　むかいます。

「えーーーと　きみたちの
名《な》まえは　なんだったかな？
ウッカリ　わすれて　しまったよ」
「オレは　ワタル　こっちは
パルゴンです」
「そうだった　そうだった。
よく　きたね。
ぼくの名《な》まえは　ウッカリース。
きみたちと　あらそう　つもりは

ないよ。すぐに　ちずを　わたすよ」
そういって　ひき出《だ》しを
あけましたが　なんだか
ようすが　へんです。
「あれ？　ここに入《い》れて
おいたのに　ないぞ」
つくえの　ひき出《だ》しから
出《で》てきたのは　ちずではなく
あんごうでした。

「そうだ　だいじな　ものだから　あんごうを
つくって　かくして　おいたのだった。
でも　ときかたを　ウッカリ
わすれて　しまったよ」
そういって　あたふたしています。
「ちょっと　見《み》せてください」
と　ワタルと　パルゴンは
あんごうを　のぞきこみます。

ちずの かくしばしょ

こたえは
「つぼのなか」だ！
怪人
おりがみじいさん
そうだった

「ここに　ちずが　あったぞー」
「ワタル　でかしたズラ！」
ウッカリースに　わかれを　いって
二人《ふたり》は　つぎに
むかいます。
「こんにちは。
おりがみじいさん
ですか？」

怪人《かいじん》
おりがみじいさん
のいえ

ワタルが　こえを　かけましたが
こちらを　チラリとも　見《み》ません。
「オレは　ワタル　こっちは　パルゴンと　いいます」
もう一《いち》ど　いいましたが
やっぱり　へんじは　ありません。
「おかしいな……
きこえているはず
なんだけどな……」
そのときです。

「オーーーーーーーイ!　きこえますかーー?」
と　パルゴンが　きゅうに　大《おお》きな　こえを
はりあげたので　つくえの　上《うえ》に　あった
おりがみが　すべて　ふきとんで　しまいました。

オー
下《した》の 3つの ものを さがしてみよう!
こたえは 92ページ
おりがみのツル
おりがみの花《はな》
おりがみ手《しゅ》りけん

「おりがみが
ぐしゃぐしゃに　なって
しまったじゃないか！
どうしてくれるんだ！」
と　ものすごい
いきおいで
おりがみじいさんが
どなりました。
「す、すみません！」

クイズ

**おりがみじいさんが おっていた おりがみが あります。
ひらくと どんな形《かたち》に なるでしょうか？**

こたえは 92ページ

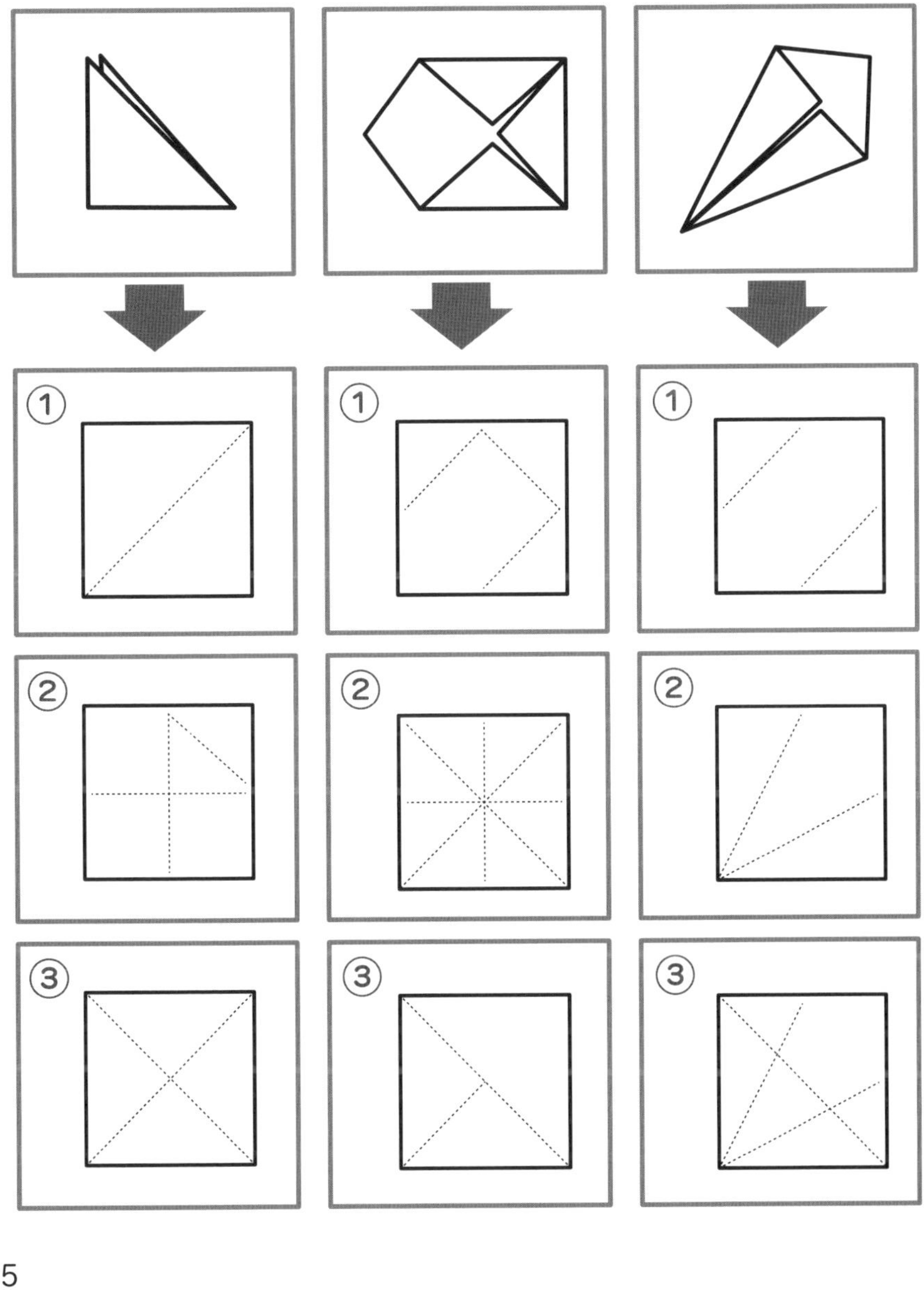

あわてて二人《ふたり》は　おりがみを　ひろいました。
ふと　かおを　あげると
そこには　チョッキンジャーも　いました。
「なぜ　ここに　いるズラか？」
「おりがみが　大《だい》すきで
おりがみじいさんに
たまに　おしえて　もらっているのよ」
チョッキンジャーは　そういって　パルゴンが
ひろいあつめた　おりがみを　手《て》にとりました。

ところが

チョッキーン

「し、しまった！
つい　きってしまった!!」

「おまえたち　ワシのじゃま
ばかりして！　出《で》ていけーー!!」

ふたたび　おりがみじいさんの
どなりごえが　ひびきました。

②

③

②

③

もんだい

チョッキンジャーが きってしまった おりがみ。せんの ところで きって ひらくと どんなかたちに なるかな?

こたえは 92ページ

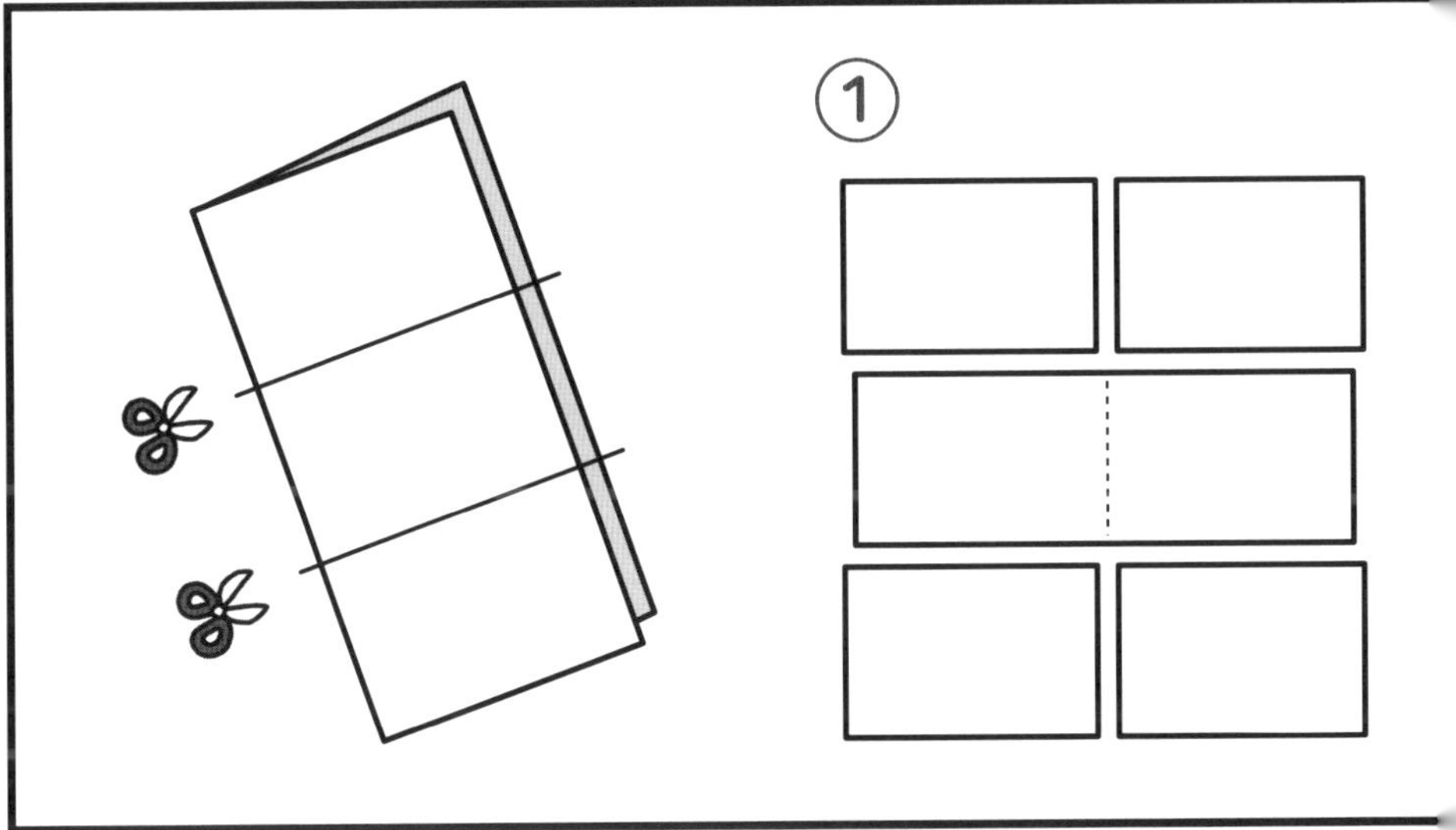

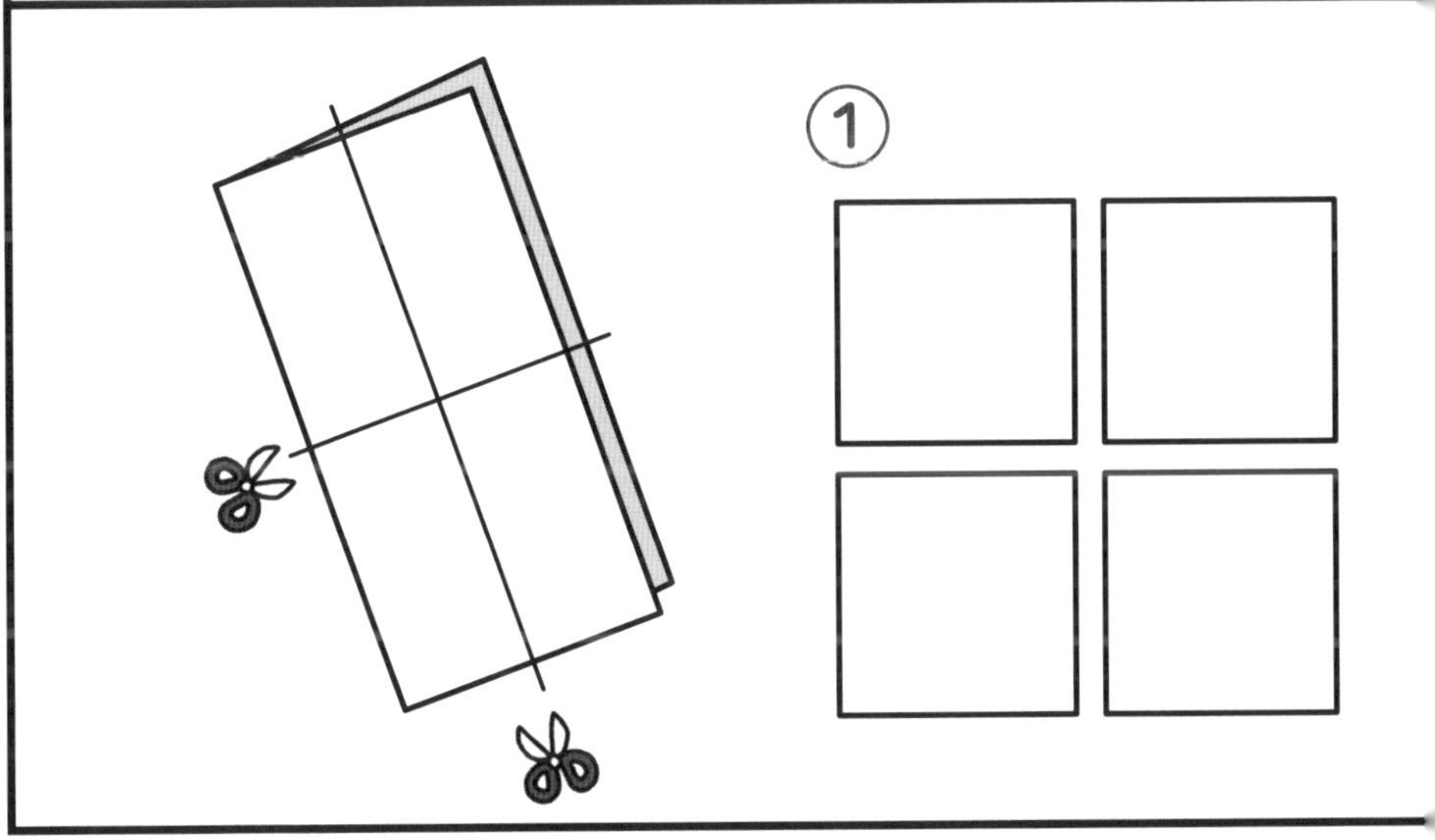

「どうなることかと
おもったけど　ちゃんと
せいかいできて　ちずを
もらえて　よかったよ」
二人《ふたり》が　おりがみ
じいさんの　いえを　出《で》た　そのとき
一《いち》だいの　車《くるま》が　はしりさりました。
「あれって　もしかして
パルゴンの　パンツじゃない？」

ワタルが　ゆびを　さす　ほうこうを
見《み》ると　車《くるま》に　パンツが
はためいています。
「まて～　オイラのパンツ～！」
二人《ふたり》は　おいかけます。
車《くるま》は　ちゅう車《しゃ》じょうに
入《はい》りました。
そこは　せんとうでした。

かけつけた　二人《ふたり》が　車《くるま》の
中《なか》を　見《み》ると　パルゴンの
パンツが　あります。
ドアには　かぎが
かかって　いました。
そこで　せんとうの中《なか》に
入《はい》り　うんてん手《しゅ》を
さがすことに　しました。

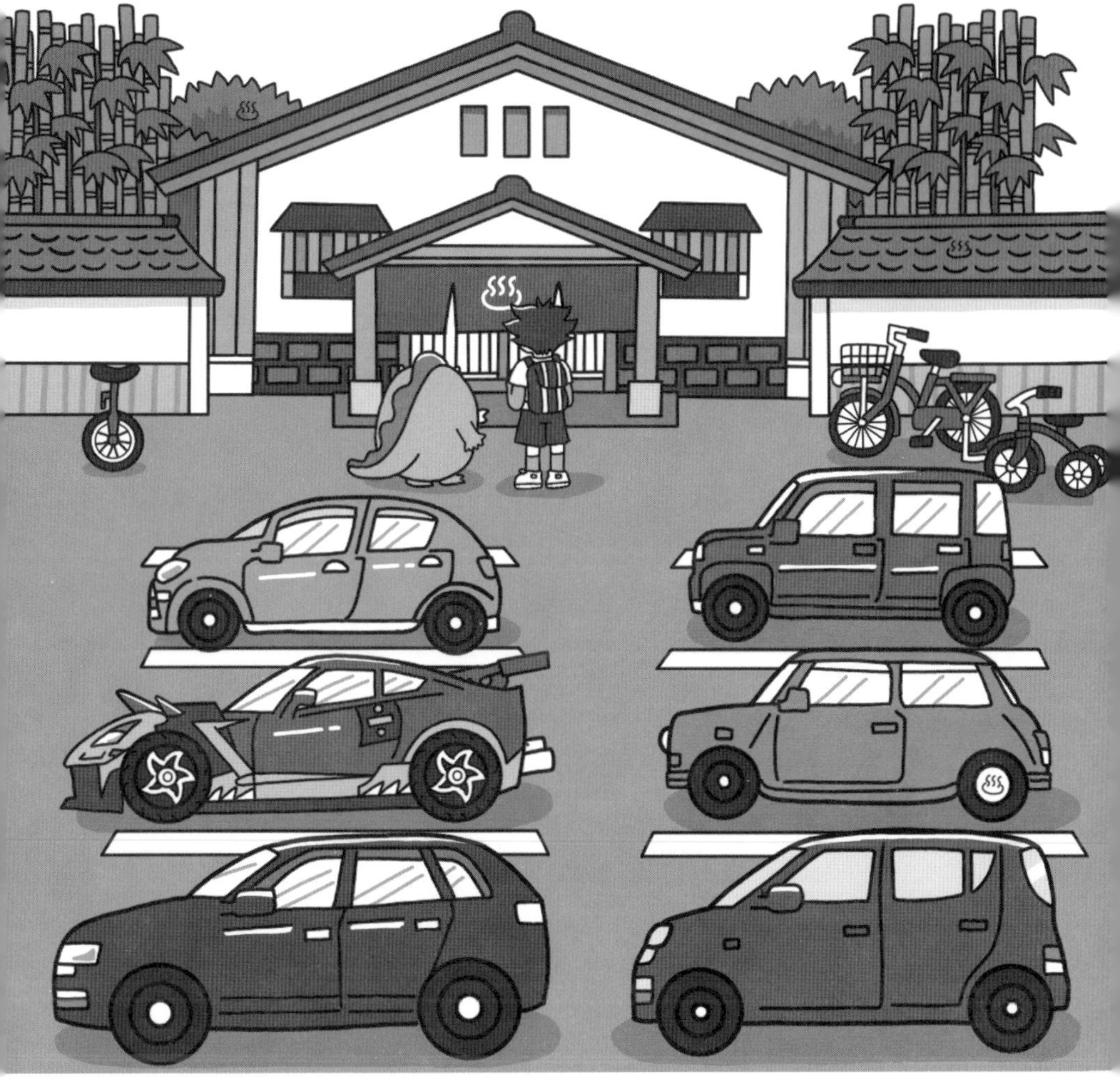

もんだい

ちゅう車《しゃ》じょうに とまっている のりものの タイヤのかずは ぜんぶで いくつあるかな? かんがえてみよう!

こたえは 92ページ

おんせんマークが 4つあるよ。さがしてみよう!

こたえは 92ページ

16

メガネ
クシ
うで
どけい

かがみに うつったもので おかしい ところが 7つあるよ。
さがしてみよう!

こたえは 92ページ

下《した》の 6つの ものを さがしてみよう!

こたえは 92ページ

ぎゅうにゅう
びん

カギ

カエル

生《う》まれて　はじめて入《はい》る　せんとうに
大《だい》まんぞくの　二人《ふたり》。
大《おお》きな　おふろは　とても　気《き》もちの　よいものです。

下《した》の 4つの ものを さがしてみよう!

こたえは 92ページ

ひよこ

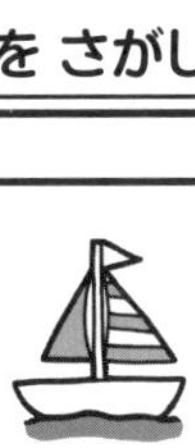

ヨット

ワシ

そのとき　なにかが
パルゴンの　足《あし》に　あたりました。
目《め》を　こらして　見《み》ますが
おゆの中《なか》に　あるので　よく見《み》えません。
そこで　グイッ！　と　力《ちから》いっぱい
ひっぱりました。
「ん？　これって　なんだズラ⁉」

「まずいよ　パルゴン……」

気《き》がついたときには
とき　すでに　おそし。
パルゴンが　ぬいたものは
おふろの　せんでした。
たくさん　あった　おゆが
あっというまに　ぬけて
しまいました。

「なにを　やって　いるんだ！」
と　せんとうの　おやじさんが
どなりこんで　きました。
「これは　うらの山《やま》から　ひいている
とくべつな　おんせんなんだよ。
大《たい》へんな　おもいを　しながら
バケツで　くんで　はこんで　いるのに！」
「す、すみません　おわびに　はたらきますので
ゆるして　ください」

もんだい

もんだいに こたえて みよう!

こたえは 92ページ

パルゴンは 水《みず》たまのバケツを 2つ はこびました。
おなじ りょうを はこぶのに シマシマの バケツは
いくつ ひつようでしょうか。

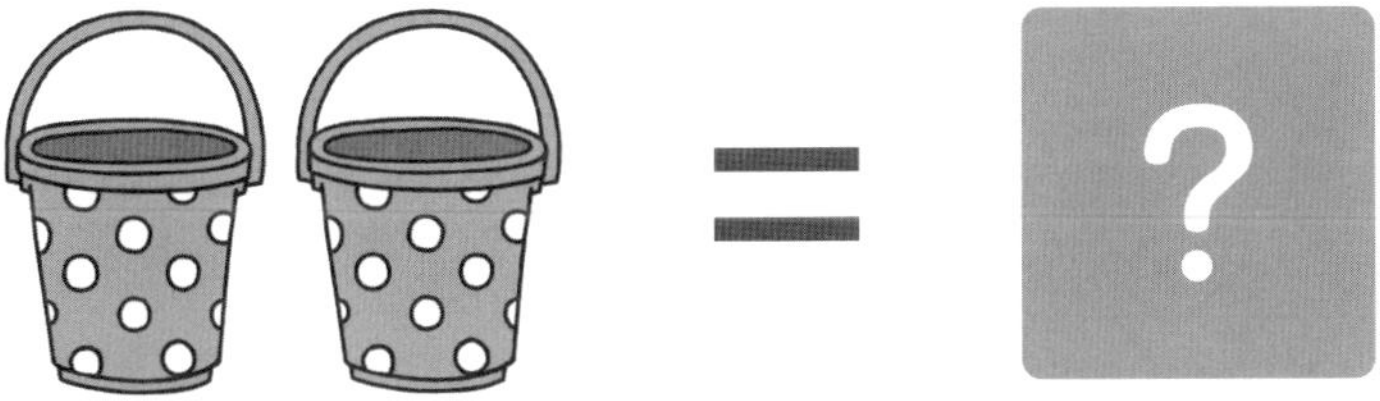

ワタルは 水《みず》たまのバケツを 1つ ほしの バケツを
2つ はこびました。 おなじりょうを はこぶのに
シマシマの バケツは いくつ ひつようでしょうか。

「やれやれ　やっと　はこびおわったよ」
おふろから　出《で》て　きがえながら
二人《ふたり》は　ハッと　気《き》がつきました。
「そうだ！　車《くるま》の　うんてん手《しゅ》を
さがしているんだった!!」
あわてて　そとに　出《で》て　みましたが
車《くるま》は　もうありません。
「しかたない。この　ちずを　たよりに　いこう」
とぼとぼと　あるき出《だ》します。

「アートマン　こんにちは。
オレは　ワタル
こっちは　パルゴン……」
はなしているのを

さえぎって　アートマンが　いいました。
「パルゴンどのは　なかなか　きょうみぶかい
かたちを　している。
えの　モデルに　なってくれたら
ちずを　わたしても　いいですよ」

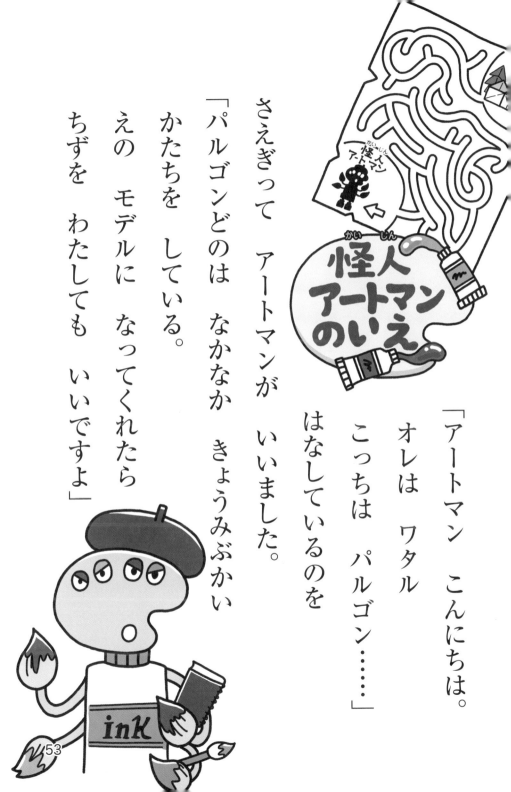

「オイラ　まえから　えのモデルを
やってみたかったズラ」
「じゃあ　オレは　えを　かいて　みようかな」
「ワタルどの　それは　いい　アイデアですね。
わたしの　でしも　入《い》れて　四人《よにん》で
スケッチを　しましょう」
アートマンは　そういうと
みんなを　せきに　すわらせました。

クイズ

アートマンが かいているのは どのえかな?
下《した》の 4つの 中《なか》から えらぼう!

こたえは 92ページ

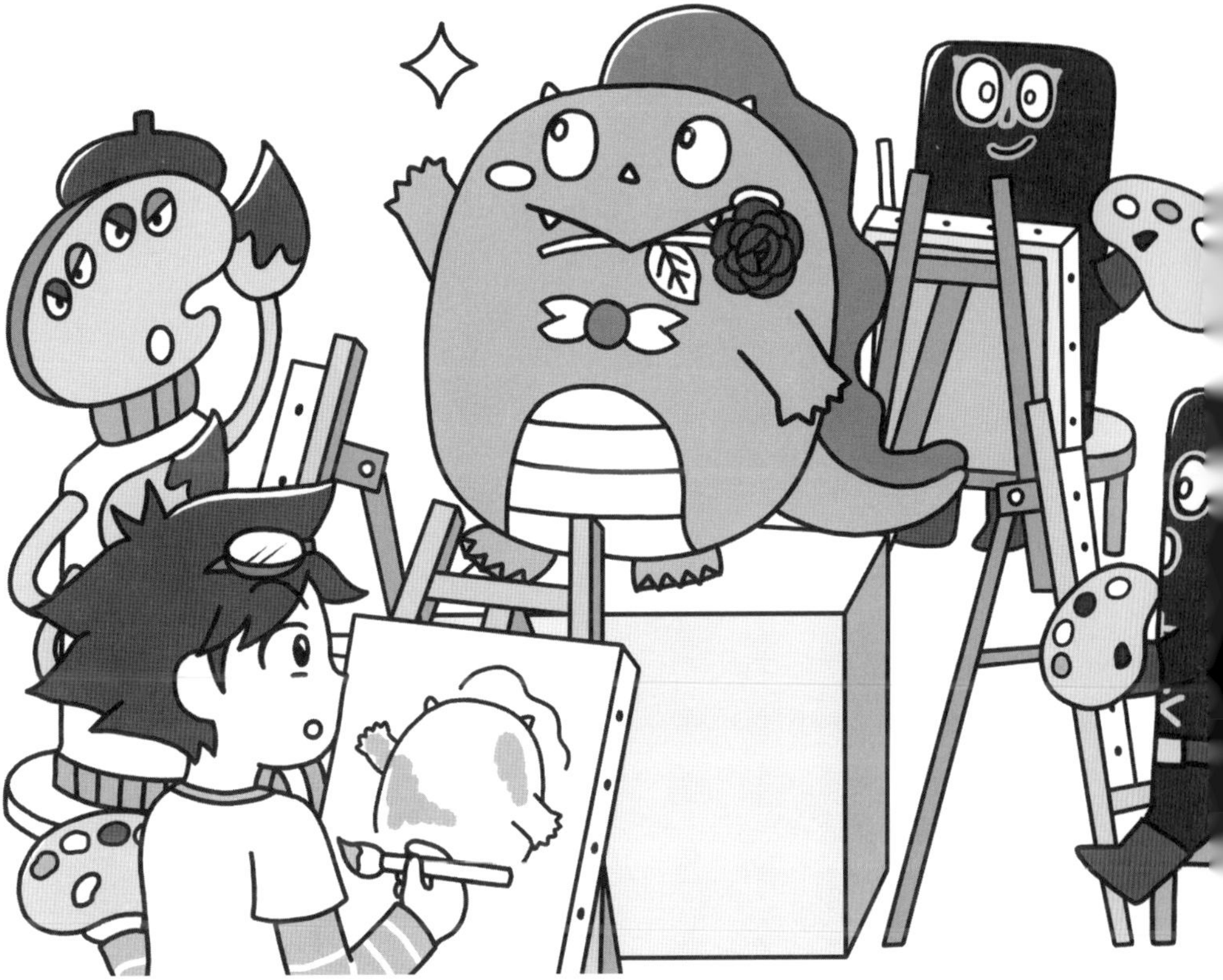

「おかげで　よいえが　かけました。
これが　つぎの　ちずです。
けいさんしながら　すすんで　くださいね」

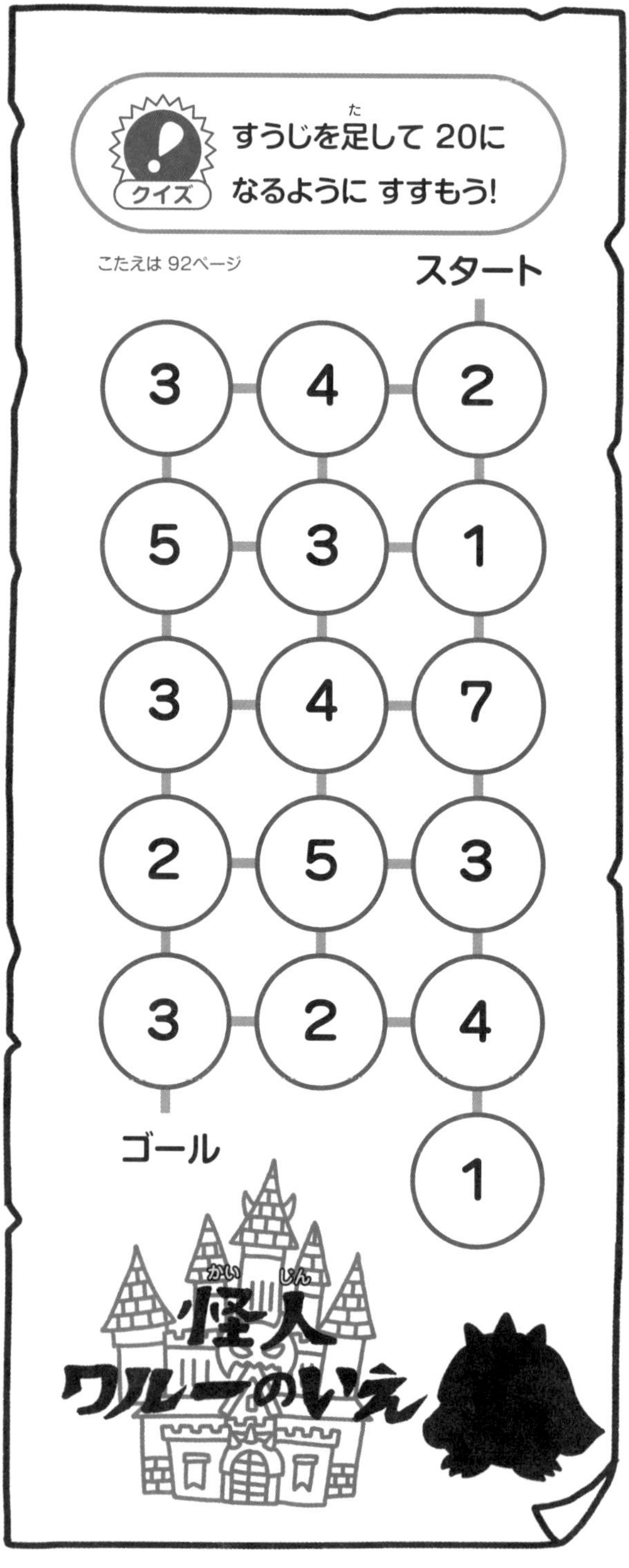

クイズ
すうじを足《た》して 20に
なるように すすもう!
こたえは 92ページ
スタート
3 4 2
5 3 1
3 4 7
2 5 3
3 2 4
1
ゴール
怪《かい》人《じん》
ワルーのいえ

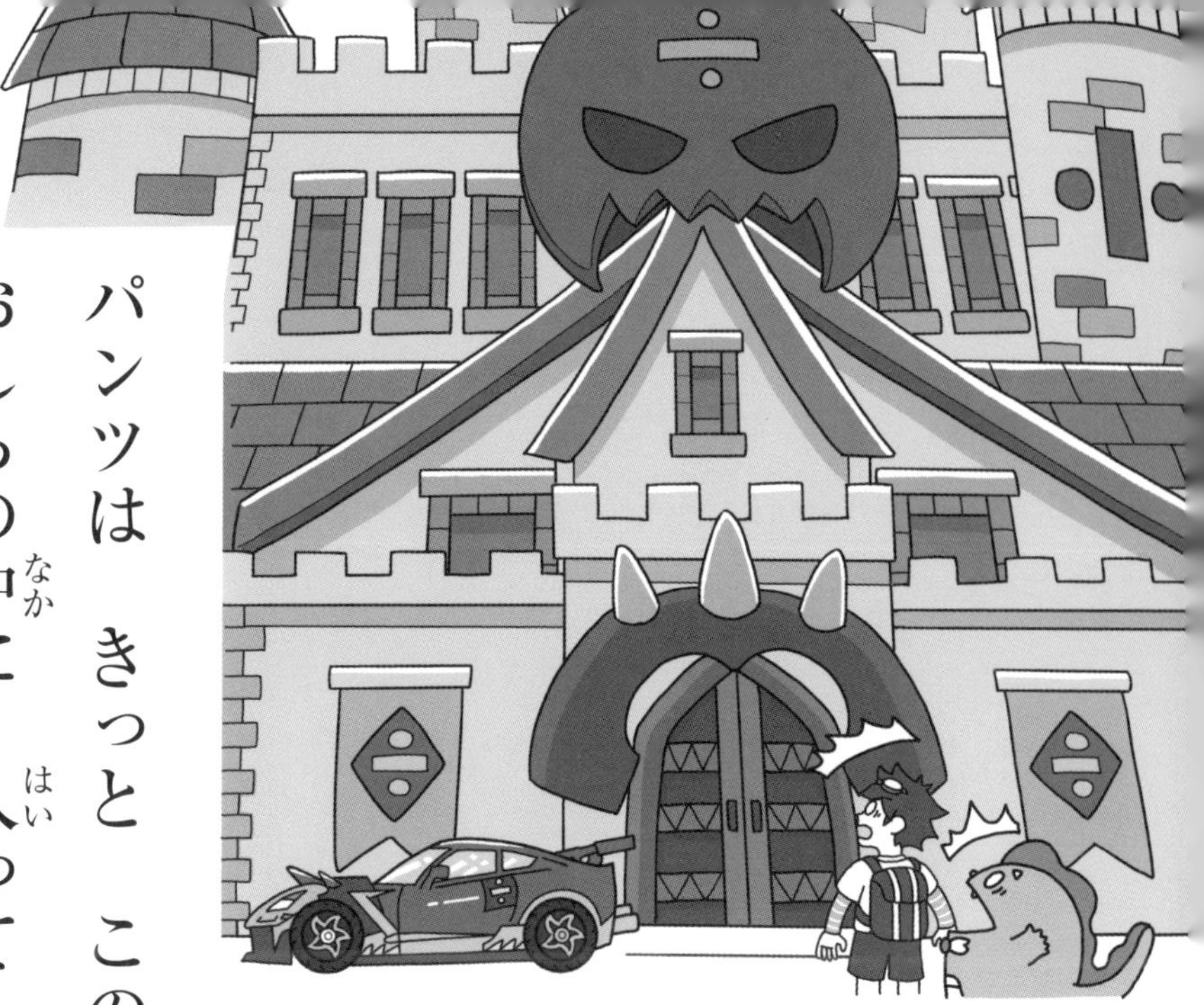

「いよいよ　怪人《かいじん》ワルーと
たいめんズラ……」
二人《ふたり》は　大《おお》きな　おしろの
はくりょくに　あっとう
されています。
「見《み》て　パルゴン。
あの　車《くるま》が　とまっているよ。
パンツは　きっと　この中《なか》だ。
おしろの中《なか》に　入《はい》って　みよう」

「こ……んにちは……」
二人《ふたり》が おそる おそる
入《はい》ると
とても いいにおいが
してきました。

？ 2本《ほん》しかない ろうそくだいを 2つ さがしてみよう!

こたえは 92ページ

「ワタルさん　パルゴンさん
おまちして　いましたわ。
わたくしは　カケルーナと
もうします。
もうすぐ　このくにの　王《おう》を　きめる　大《だい》じな
パーティーが　はじまります。
そのじゅんびで　ごちそうを　よういして　います。
おちかづきの　しるしに　おすきな　ものを
どうぞ　めし上《あ》がって　ください」

「あの人《ひと》　なにものズラ？
たべても　大《だい》じょうぶズラか？」
「カケルーナさん！　このおしろの
どこかに　パルゴンの
パンツが　あるはずです。
オレたち　それを　かえして
もらえば　いいですから」
「そうおっしゃらずに　りょうりを
めし上《あ》がって　ください。

きょうは　めでたい日《ひ》ですから
うでに　よりをかけて　つくりました」
「ワタル　カケルーナさんは　わるい人《ひと》に　見《み》えないズラ」
とてもおなかが　すいていた二人《ふたり》は
ごちそうを　いただくことに　しました。
「では　えんりょなく　いただきます！」
と　二人《ふたり》が　たべようとすると
「まって　ください！」
と　カケルーナが　いいました。

「シェフたちに
りょうりの　ちゅう文《もん》を
するときは
かならず　ぶんすうで
いってくださいね」
「ん？　ぶんすうって
なに？」

ぶんすうとは

たとえば

おにく 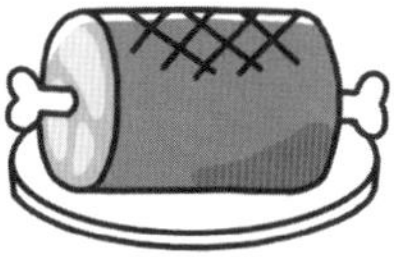 **をわけるとき**

ワタルさん、パルゴンさんの2人《ふたり》でわけたばあい

おにくを
2つにわける

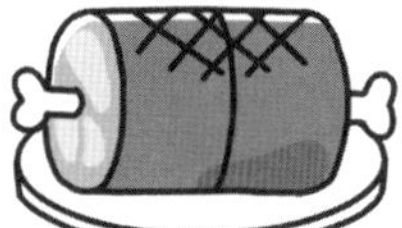

ぶんすうでいうと $\frac{1}{2}$《にぶんのいち》ずつになります。

ワタルさん、パルゴンさん、わたくしの3人《にん》でわけたばあい

おにくを
3つにわける

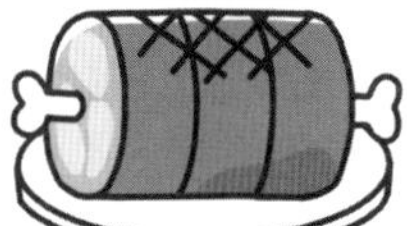

ぶんすうでいうと $\frac{1}{3}$《さんぶんのいち》ずつになります。

ワタルさん、パルゴンさん、
わたくし、くろくろだんの4人《にん》でわけたばあい

おにくを
4つにわける

ぶんすうでいうと $\frac{1}{4}$《よんぶんのいち》ずつになります。

1
2
いち　ぶんの　に
ぶんすうは　このように
下《した》のすうじから　よみます。
に ぶんの いち
じゅるっ
ぶんすうって
かんたんズラ。
さっそく
ちゅう文《もん》
するズラ。
ぶ
ん
す
う
わかったら
さあめし上《あ》がれ！

さがす

この中《なか》に $\frac{1}{4}$《よんぶんのいち》 の ものが あるよ。
さがしてみよう!

こたえは 92ページ

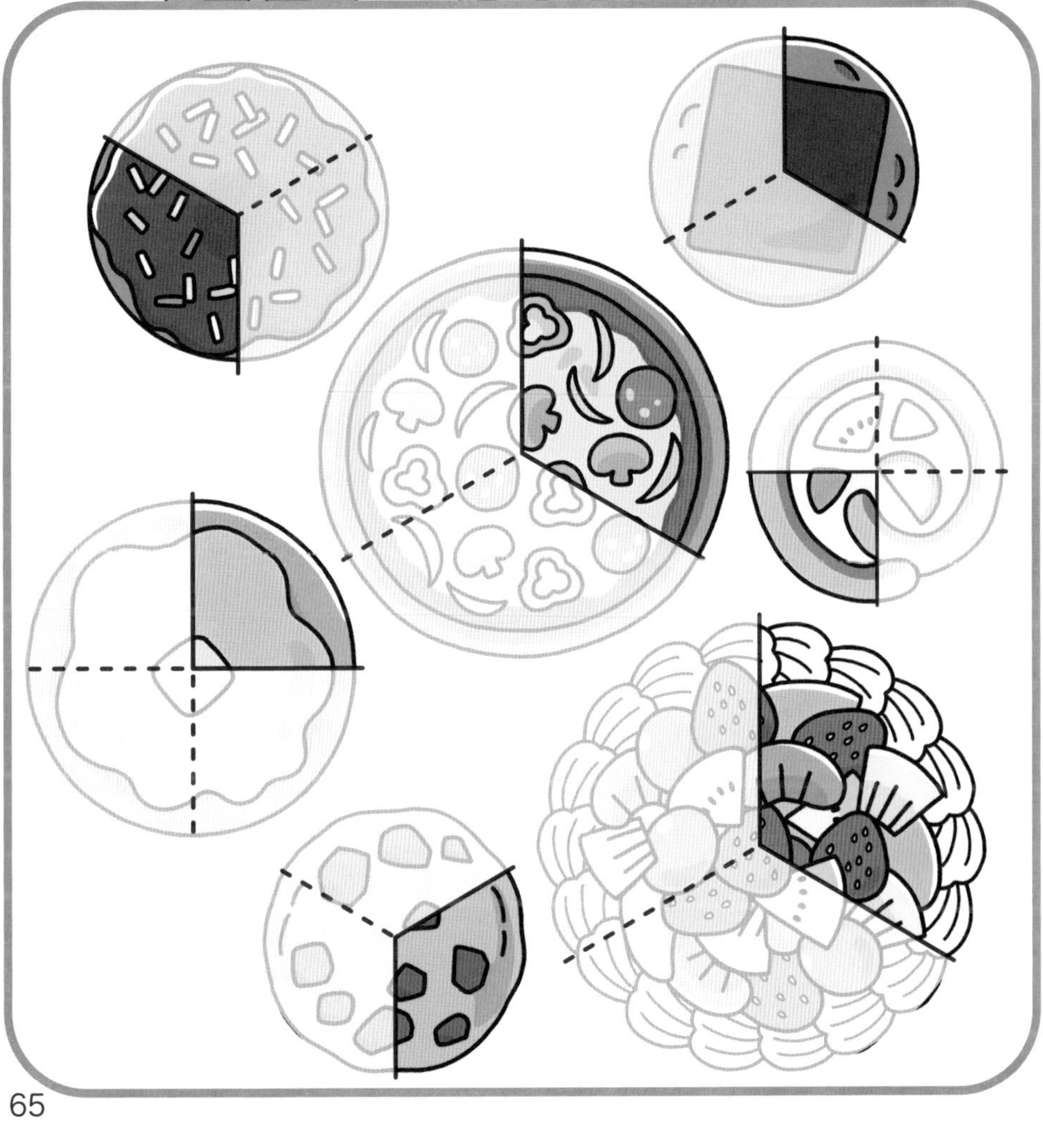

クイズ

$\frac{4}{4}$《よんぶんのよん》 と $\frac{3}{3}$《さんぶんのさん》 に わけられた ピザが あるよ。
さがしてみよう!

こたえは 92ページ

「おなかが　いっぱいに　なったら　なんだか
きゅうに　ねむく　なってきた……ズラ……」
そういうと　とつぜん　パルゴンは
大《おお》きな　いびきを　かいて
ねむってしまいました。
「パルゴン　しつれいだぞ。
あれ？　オレも……なんだか……
ねむく　なってきた……」
ワタルも　そのばに　ねむりこんで　しまいました。

先《さき》に　目《め》を　さましたのは　ワタルです。
「パ、パルゴン　おきろ！
大《たい》へんなことに　なっているぞ!!」
「ハッハッハーーー
やっと　目《め》を　さましたか」
そこには　見《み》たことのない
怪人《かいじん》が　いました。

「こんなに　早《はや》く
たどりつくとは
おもって　いなかった。
おまえたち
なかなか　やるな」

「だれだ⁉　おまえは！」

「わたしが　このくにの
王《おう》である　怪人《かいじん》ワルーだ。
パルゴンの　パンツは
わたしが　いただいた！」

見《み》ると　ワルーの　うしろには
カケルーナの　すがたも　ありました。

「カケルーナさん　いいところに！
この　なわを　ほどいてください」
「それは　できないわ。
まだ　気《き》づいて　いないようね。
あなたたち　二人《ふたり》を　ねむらせる
ために　しょくじに　すいみん
やくを　しのばせたのよ。
だって　わたくしの
しょうたいは……」

60〜67ページに ない ごちそうが あるよ。さがしてみよう！

こたえは 92ページ

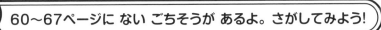

「ワルーの あねの
カケルーナだからよ!!」
「えーーー
カケルーナさんも 怪人《かいじん》だったなんて！」
「なんで オイラの パンツを ぬすんだズラ⁉」

「このくにでは　王《おう》さまに
なるものは　パンツを
はくことが　きまっている。
しかし　さいきん　わたしは
ふとりすぎて　はけるパンツが
なくなってしまった。
こまっていたところ　ぐうぜん
この大《おお》きな　パンツを
はっけんしたのだ」

「きょうは　めでたい日《ひ》だ！
怪人《かいじん》のみんな
パンツを　はいて！
ごいっしょに！　せーの」

S
P

さがす

パーティーに まぎれこんだ ものが 6つあるよ。
さがしてみよう!

こたえは 92ページ

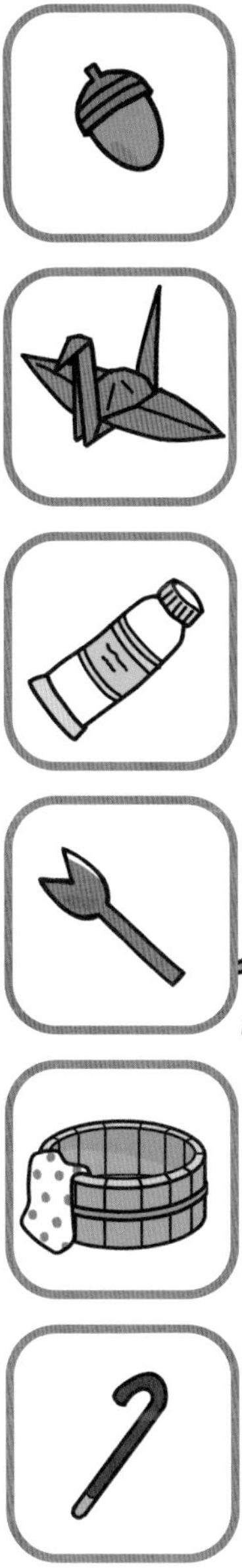

ハプニングが　おこりました!

こたえは 81～82ページ

ハプニング その1

31本《ぼん》のフォークを
10人《にん》で　つかいます。
1人《ひとり》　なん本《ほん》つかい
なん本《ほん》　あまりますか?

ハプニング その2

31本《ぼん》あるフォークを
チョッキンジャーが
1本《ぼん》　きってしまいました。
のこりの　フォークを
10人《にん》で　つかうばあい
1人《ひとり》　なん本《ほん》つかいますか?

ハプニング
その3

パーティーの　さいちゅう

おりがみじいさんが　10人《にん》に
3つずつ　おりがみの花《はな》を　くばろうと
しましたが　4つ　足《た》りませんでした。
おりがみじいさんは　花《はな》を　いくつ
おりましたか？

ハプニング
その4

ウッカリースが　10こある
グラスのうち　5こを
わってしまいました。
くろくろだんが　さらに　2こ
グラスを　もってきました。
グラスが　10こになるには
あと　なんこ　ひつようですか？

「やっと　じゅんびしたのに
これじゃあ　だいなしだ。
パーティーは　ちゅうしだ」
ワルーと　カケルーナは
こまりはてて　ないています。
「大《だい》じょうぶですよ。
けいさんしたら　すぐに
よういが　できますよ」
と　ワタルが　いいました。

さきに

もんだい

ワタルといっしょに パーティーに
ひつようなものの かずを けいさんして みよう!

ハプニング その1

31本《ぼん》のフォークを
10人《にん》でつかうから
31÷10=3あまり1

1人《ひとり》　3本《ほん》つかえて　あまりは1本《ぼん》

ハプニング その2

チョッキンジャーが　1本《ぼん》きったので
31−1=30　10人《にん》で　つかうから
30÷10=3

1人《ひとり》　3本《ほん》つかう

ハプニング その3

おりがみじいさんは　10人《にん》に
3つずつ　おりがみの花《はな》を　くばろうと
おもったので　10×3=30
4つ足《た》りないと　いうことは
30−4=26

おりがみじいさんは　26この花《はな》を　おった

ウッカリースは　5このグラスを
わってしまったから　10−5=5
くろくろだんが　グラスを　2こ
もってきたから　5+2=7
グラスは　10こ　ひつようだから　10−7=3

ハプニング
その4

グラスが　10こになるには　3つ　足《た》りないね

「よかった。
これで　パーティーが　つづけられるぞ！」
「ワタル　パルゴン　たすけてくれて　ありがとう。
パンツを　ぬすんだのに　きょう力《りょく》してくれて
かんしゃしている。
パンツは　すぐに　かえすよ」
と　ワルーが　いいました。
「でも　パンツが　ないと　パーティーが
できなく　なるんじゃないの？」

そのときです。
「あの……」
と　おりがみじいさんたちが
はなしかけて　きました。
「ワルーさまが　こまって
いると　うかがって　みんなで
つくったのですが……」
と　さしだしたものは
とても大《おお》きな　パンツでした。

「こ、これは‼

なんて　わたしごのみの　パンツなんだ！」

「みんなで　がんばって　つくりました。

ぜひ　はいてください」

「みんな　ありがとう！」

パルゴンも　パンツを
とりもどせて
うれしそう。

クイズ

これは ワルーの パンツの てんかい図《ず》だよ。
1つだけ ちゃんと はける パンツが あるよ。どれかな？

こたえは 88ページ

① ② ③

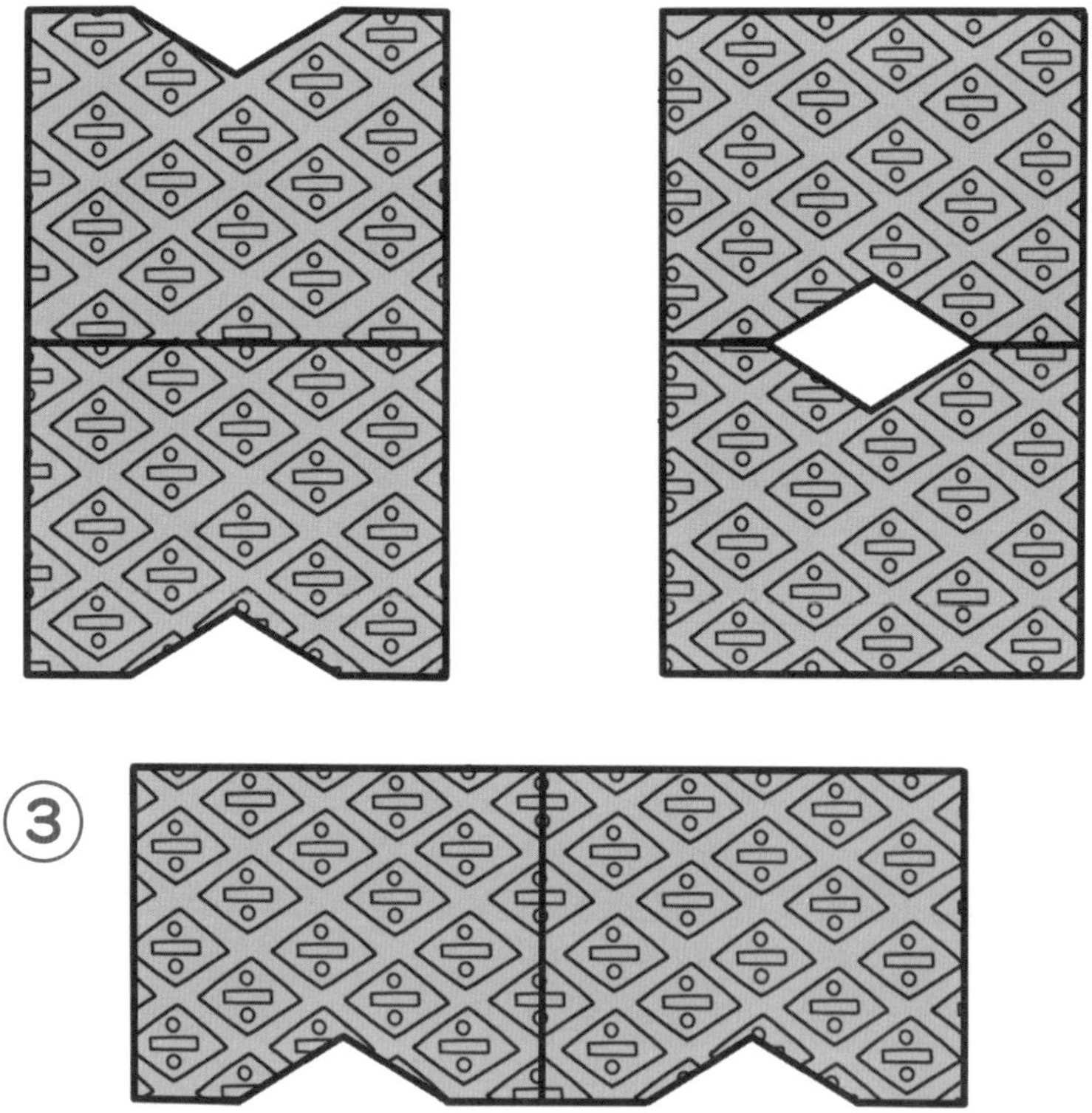

それでは　もう一《いち》ど　みなさん　ごいっしょに

「カンパーーーンツ！」

ワルーの パンツの てんかい図《ず》 こたえ

①は　どうかな……

つながっておる…

あしがでないゾ…

②は　どうかな……

ちゃんと はける
パンツの正《せい》かいは　③

ワーッハッハッハ

「そろそろ　オイラたち　かえるズラ」
「たのしい　パーティーを
ありがとうございます！」
二人《ふたり》が　わかれを　つげた
そのときです。

イターーーーー

と　とつぜん　パルゴンが
とび上《あ》がりました。

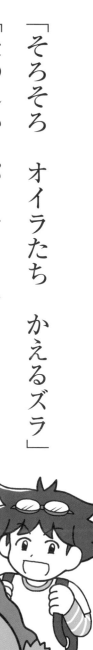

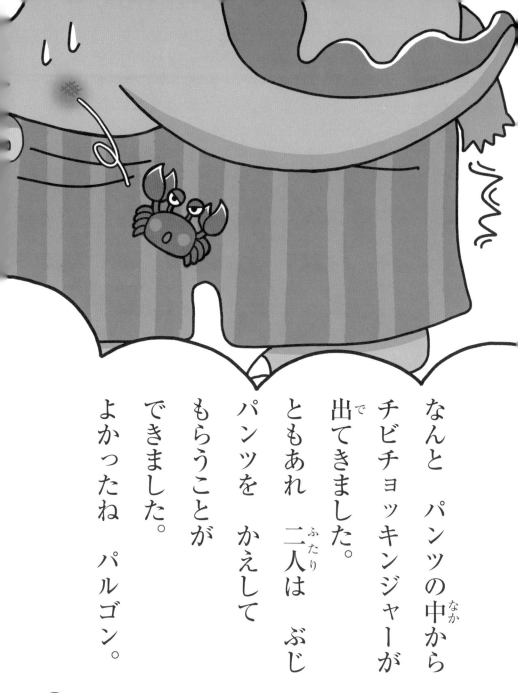

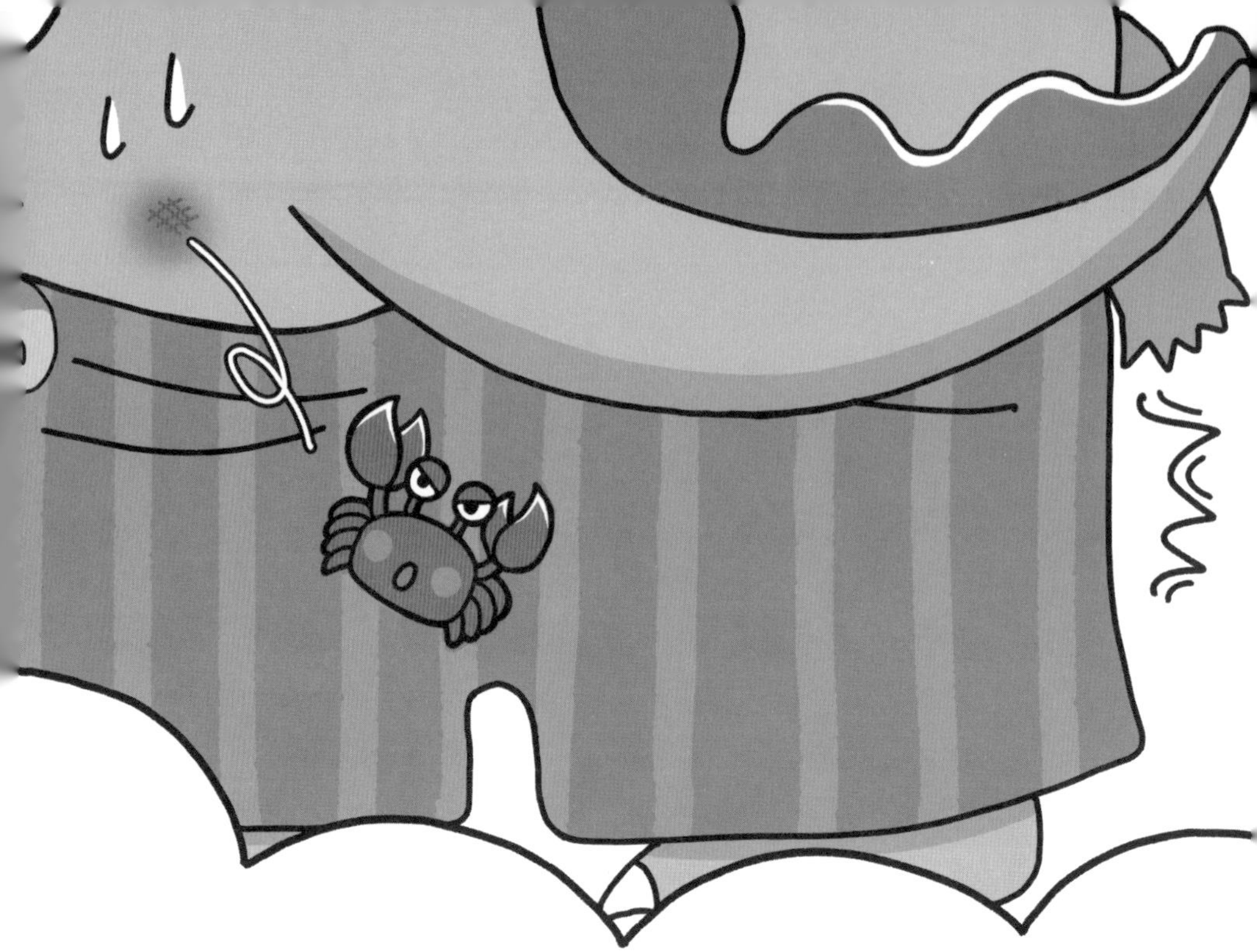

なんと　パンツの中《なか》から
チビチョッキンジャーが
出《で》てきました。
ともあれ　二人《ふたり》は　ぶじ
パンツを　かえして
もらうことが
できました。
よかったね　パルゴン。

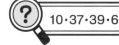

10・37・39・69・76・84・87ページで チビチョッキンジャーを さがしてみよう!

こたえは 92ページ

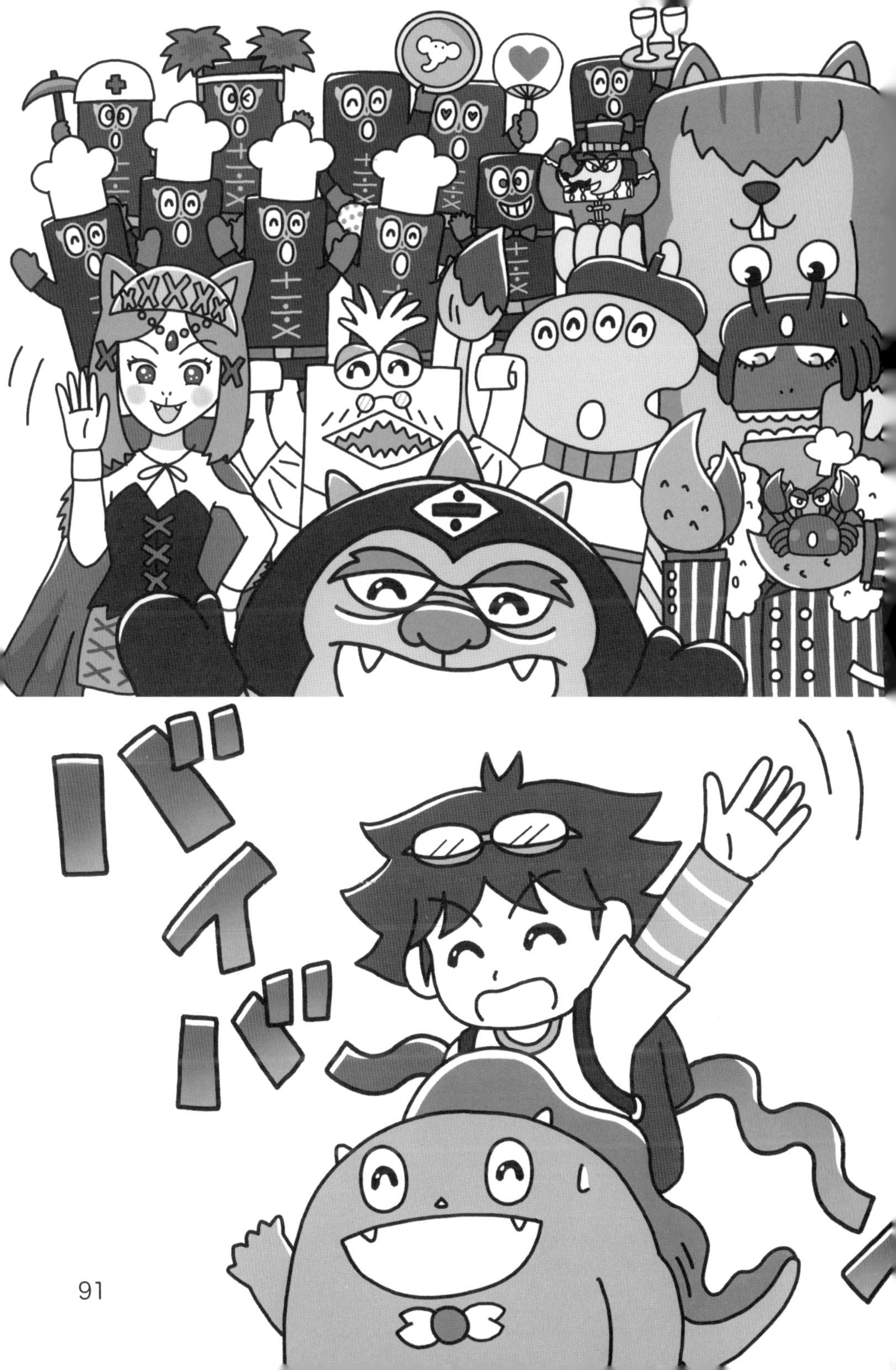
バイバ〜イ

こたえ

チビチョッキンジャーのいばしょ　10ページ：チョッキンジャーの足《あし》もと／37ページ：おりがみじいさんとチョッキンジャーのあいだ／39ページ：パルゴンのとなり／69ページ：チョッキンジャーの足《あし》もと／76ページ：こしょう（Pとかかれている入《い》れもの）のとなり／84ページ：ウッカリースのあたまの上《うえ》／87ページ：パルゴンとワルーのあいだ

謎《なぞ》のカゲクイズ（うしろ）

謎《なぞ》のカゲクイズ（まえ）

小室尚子（こむろ・なおこ）
山形県出身。勉強を遊びに変えてわが子に教える家庭教育法「親勉」を提唱。
３万2000世帯の親子に遊びながら学ぶ楽しさを伝える。2016年、日本親勉アカデミー協会を設立。オリジナルカードゲームやトランプなどの教材開発も手がける。TV、新聞、雑誌などメディア出演も多数。
主な著書に『楽しく遊ぶように勉強する子の育て方』（日本能率協会マネジメントセンター）、『小学校に入学後、３年間で親がやっておきたい子育て』（総合法令出版）、『パンツをさがせ！ パンツがぬげちゃった怪獣パルゴンの日本一周大ぼうけん』（ワニブックス）、『めざせ、ウンチく王 トイレ王国からの漢字クイズちょうせん状！』（KADOKAWA）、『でかいケツで解決デカ 怪盗チョッキンナーから歴史人物を守れ！』（PHP研究所）などがある。

プロデュース	大島永理乃
イラスト・ディレクション	南部美乃（めとめ）
イラスト	あだちゆう
装丁	辻中浩一、小池万友美、小山内毬絵（ウフ）
ＤＴＰ	キャップス
校正	玄冬書林
編集	内田克弥（ワニブックス）

パンツをさがせ！
パンツがぬげちゃった怪獣《かいじゅう》パルゴンのきょうふ!! 算数王国大《さんすうおうこくだい》ぼうけん

著　者　小室尚子

2020年8月10日　初版発行

発行者　横内正昭

編集人　内田克弥

発　行　株式会社ワニブックス

〒150-8482　東京都渋谷区恵比寿4-4-9　えびす大黒ビル
電話03-5449-2711（代表）03-5449-2734（編集部）
ワニブックスHP　http://www.wani.co.jp/
WANI BOOKOUT　http://www.wanibookout.com/

印刷所　株式会社美松堂

製本所　ナショナル製本

 ISBN 978-4-8470-9939-7

イズ